MESOPOTAMIA

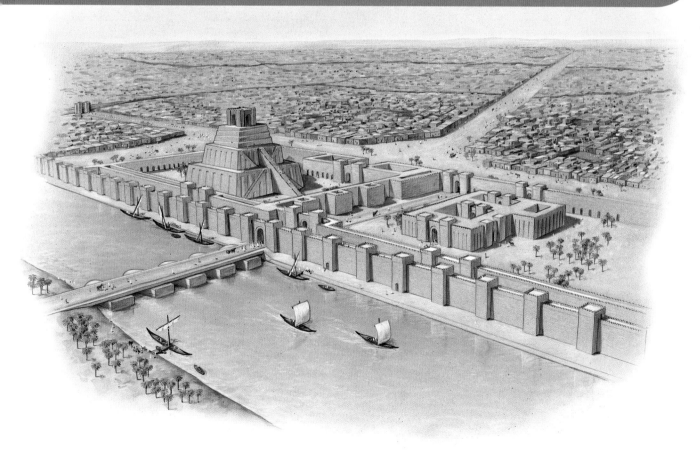

Ⓟ Parramón

Proyecto y realización
Parramón Ediciones, S.A.

Dirección editorial
Lluís Borràs

Ayudante de edición
Cristina Vilella

Textos
Eva Bargalló

Diseño gráfico y maquetación
Estudi Toni Inglés (Alba Marco)

Ilustraciones
Estudio Marcel Socías

Dirección de producción
Rafael Marfil

Producción
Manel Sánchez

Segunda edición: febrero 2005

Grandes civilizaciones
Mesopotamia
ISBN: 84-342-2611-1

Depósito Legal: B-6.131-2005

Impreso en España
© Parramón Ediciones, S.A. – 2004
Ronda de Sant Pere, 5, 4ª planta
08010 Barcelona (España)
Empresa del Grupo Editorial Norma

www.parramon.com

CUANDO LA HISTORIA ECHÓ A ANDAR

Hace más de 4.000 años, en una vasta región regada por las milenarias aguas de los ríos Tigris y Éufrates, floreció y se desarrolló un conjunto de extraordinarias civilizaciones conocidas como civilización mesopotámica. Una cultura que destacó no sólo por sus impresionantes obras artísticas y de ingeniería, sino también por poseer una enorme inventiva y una profunda capacidad de estudio y observación.

Por todo ello queremos presentar a los jóvenes lectores los principales rasgos de esta apasionante civilización. Iniciamos la obra con una breve introducción a modo de resumen y marco espacial y temporal de los once temas que se desarrollarán a continuación. Estos temas están presididos por una pequeña presentación y vertebrados por una imagen central, a partir de la cual se explican, de forma clara y concisa, diversos aspectos de la cultura y la historia mesopotámicas relacionados con cada ilustración. Asimismo, en recuadros complementarios se amplía el contenido del tema o se ofrece información adicional.

Con el fin de facilitar la lectura y complementar la información, en la última doble página se incluye un glosario de términos, una breve cronología y una lista de los principales personajes mesopotámicos.

En la selección de los temas y el desarrollo de los contenidos ha primado el atractivo de éstos por encima de la exhaustividad, dado que nuestros objetivos primordiales son despertar el interés del joven lector por el estudio de la historia de las grandes civilizaciones sin abrumarlos con excesivos datos históricos y, a la vez, incentivarlos para que ahonden en el estudio de la materia.

UNA CUNA ENTRE DOS AGUAS

Al contrario del Éufrates, el Tigris es un río difícil de domesticar. Sus aguas torrenciales impidieron la navegación y su aprovechamiento para la irrigación de los campos.

LA GRAN CIVILIZACIÓN MESOPOTÁMICA

Mesopotamia significa "entre dos ríos", el Tigris y el Éufrates, que en la actualidad concurren juntos en su último tramo para unir sus aguas a las del golfo Pérsico.

Hace miles de años estas tierras fueron la cuna de una gran civilización. A pesar de que se trata de una zona donde las lluvias son escasas, el suelo es muy fértil y las características del Éufrates ya entonces permitieron su canalización con el fin de irrigar los campos y desarrollar una importante agricultura.

EL PERÍODO SUMERIO Y ACADIO

Los asentamientos humanos junto al río fueron creciendo paulatinamente. La necesidad de riego y autodefensa llevó a sus habitantes a construir canales y ciudades fortificadas para defenderse de los pueblos enemigos.

La primera de las grandes civilizaciones mesopotámicas fue la sumeria. Este pueblo formó un gran imperio constituido por ciudades-estado a cuya cabeza estaba un príncipe. Siglos después la región fue conquistada por los acadios. El rey Sargón I fundó la dinastía de Akad y creó un gran estado. Pero la superioridad acadia duró poco: los gutis invadieron la región y precipitaron su caída. Estas circunstancias fueron aprovechadas por los sumerios, que restablecieron las ciudades-estado. En este sentido, la dinastía de Ur desempeñó un papel fundamental y llegó a dominar una gran parte de Mesopotamia.

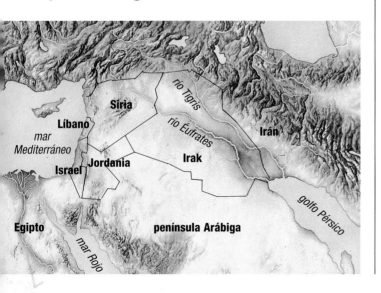

La antigua Mesopotamia se extendía por los actuales territorios de Irak, Irán y Siria.

Una de las puertas de acceso a la ciudad de Nínive, sede de una de las bibliotecas más importantes de la antigüedad.

Estatua de Gudea, uno de los gobernantes sumerios más célebres de la ciudad-estado de Lagash.

EL PERÍODO BABILÓNICO, ASIRIO Y CALDEO

Más adelante Sumer fue conquistada por los amoritas, que trasladaron la capital del nuevo imperio a la ciudad de Babilonia. Al célebre rey Hammurabi se debe la unificación del imperio babilónico, que se desarrolló a lo largo de 400 años.

Los babilonios fueron conquistados por los asirios, que trasladaron la capital del imperio a Nínive. Sus ansias de conquistar nuevos territorios les llevaron hasta el Mediterráneo. Las regiones que invadían eran anexionadas o puestas bajo el mando de reyes vasallos.

Las intrigas de la red de cortesanos y administradores asirios, así como los ataques de los pueblos medos y caldeos, socavaron el imperio y provocaron su destrucción. Los caldeos tomaron Mesopotamia y devolvieron la capitalidad y su antiguo esplendor a Babilonia, con lo cual se inicia la etapa conocida como neobabilónica. Pero a mediados del siglo VI a.C., Ciro el Grande de Persia invadió Mesopotamia, y puso fin a una de las grandes civilizaciones de la humanidad.

UNA SOCIEDAD COMPLEJA

Los principales rasgos de la sociedad y la cultura mesopotámicas los introdujeron los sumerios. Más adelante, los pueblos babilonios y asirios adoptaron estas características, aunque, eso sí, adaptándolas a sus necesidades y forma de pensar. Los distintos pueblos mesopotámicos eran politeístas y creían que los dioses dominaban los elementos de la Tierra. Asimismo, cada ciudad tenía su propia deidad local protectora en cuyo honor se erigía un templo.

Los dioses eran representados por los príncipes, los reyes y los sacerdotes, que residían en el templo y controlaban la educación, el comercio y la vida cotidiana y moral de las gentes.

La vida económica, religiosa, social y pública de la población estaba regulada por una serie de leyes que los administradores del rey y los sacerdotes hacían cumplir a rajatabla. El rey Hammurabi de Babilonia recopiló el código de leyes más completo hasta

Los asirios poseyeron una fuerza militar invencible y eran conocidos y temidos por su desmedida crueldad en el campo de batalla.

Los escribas utilizaban como soporte tablillas de arcilla que luego cocían para proporcionarles dureza y resistencia.

aquel momento; a pesar de la severidad de algunos de sus decretos, los asirios endurecieron todavía más las penas e impusieron un código único de ley y administración en todo su imperio.

ENTRE LA AGRICULTURA Y LA GUERRA

En la etapa de dominación sumeria ya existían diversas clases sociales, basadas en la riqueza y la función de los individuos. A lo largo de los años esta diferenciación desembocó en tres estratos: los patricios, el pueblo en general y los esclavos. La mayoría de la población se dedicaba a la agricultura, que era la principal fuente de riqueza de Mesopotamia. Sin embargo, la existencia de excedentes y la necesidad de materias primas dio lugar al desarrollo de un comercio muy activo, favorecido por la navegación a través de los canales y el río. El intercambio de mercaderías tenía lugar en los mercados de las ciudades.

La guerra también desempeñó un papel importante en la vida cotidiana de los habitantes de la región. La frecuencia de ataques e incursiones de pueblos enemigos condujo a la creación de ejércitos regulares y la fortificación de las ciudades.

UNA CULTURA RICA E IMAGINATIVA

Las grandes aportaciones culturales de los sumerios fueron adoptadas casi en su totalidad por los babilonios y los asirios. Cabe destacar que estos pueblos fueron los primeros en conceder un papel muy importante a la educación infantil, sobre todo durante el reinado de Hammurabi.

El desarrollo de una administración compleja obligó a la creación de registros y estimuló el desarrollo de la escritura. Pero la evolución de ésta no va ligada únicamente a la necesidad de registrar datos y acontecimientos sino también al florecimiento de una rica literatura, en la que abundaban hermosos relatos épicos.

Los antiguos pobladores de Mesopotamia fueron los artífices de dos inventos cruciales para la humanidad: la rueda y el arado. También fueron capaces de desarrollar un complejo sistema de canalización con diques, presas y depósitos de agua, con el fin de irrigar los campos y llevar el agua hasta el desierto.

Gracias a la observación y el estudio de los astros pudieron contabilizar el tiempo en meses y semanas y dividir el día en

Toro alado con rostro humano que flanqueaba las puertas del palacio asirio de Khorsabad.

Recipiente de cerámica empleado para el transporte de aceite.

veinticuatro horas, la hora en sesenta minutos y el minuto en sesenta segundos. También dieron nombre a las constelaciones, y a cada mes le asignaron un signo del zodíaco.

UN ARTE AL SERVICIO DEL PODER Y LA RELIGIÓN

Las distintas manifestaciones del arte mesopotámico tenían como objeto glorificar a los dioses y ensalzar las victorias militares de sus soberanos. Por lo que se refiere a la arquitectura, el uso de ladrillos cocidos permitió la construcción de grandes edificios, como los templos, los zigurats y los palacios.

Las ciudades estaban formadas por calles estrechas; las viviendas eran de dos plantas y las habitaciones estaban ordenadas alrededor de un patio central. Los edificios principales de la ciudad eran los templos y los palacios. Ambos se revestían a menudo con hermosos azulejos y mosaicos. Los palacios, además,

solían decorarse con relieves, y en la época asiria estaban flanqueados por inmensas esculturas de piedra.

Los relieves mostraban habitualmente escenas militares o de caza. También se han conservado algunos que recrean acontecimientos de la vida cotidiana, como los trabajos agrícolas o los festejos. Por regla general, la representación de animales presenta un mayor naturalismo que la de seres humanos, y las manifestaciones de arte religioso y oficial son más solemnes que las que presentan escenas cotidianas.

La cerámica también desempeñó un papel muy importante en la civilización mesopotámica; el uso del torno y la cocción de las piezas permitió la elaboración de grandes vasijas, muy útiles para la agricultura y el comercio. Igualmente abundan las pequeñas obras de arte realizadas con metales e incrustaciones de nácar y piedras preciosas, así como las estatuillas de ofrendas y los sellos cilíndricos. Estos últimos, empleados para firmar documentos, se elaboraban con piedras preciosas y se envolvían en una banda de arcilla húmeda para obtener una escena continua en miniatura.

EL DESPERTAR DE LAS CIVILIZACIONES

El Tigris y el Éufrates, los dos ríos que desembocan en el golfo Pérsico, son los protagonistas de una gran civilización denominada mesopotámica. A pesar de la escasez de lluvias en la mayor parte de la región, el agua de estos dos ríos y la fertilidad de las tierras de sus márgenes permitieron el desarrollo de una rica agricultura y la aparición de asentamientos que, con el tiempo, se convirtieron en prósperas e influyentes ciudades.

Asiria ■
este pueblo, a pesar de tener una cultura muy parecida a la babilónica, destacó por su extremada crueldad

metalurgia ■
los mesopotámicos trabajaron algunos metales, como el bronce, el cobre o el oro. Con ellos confeccionaron herramientas, como cuchillos o clavos

agricultura ■
el desarrollo del cultivo de la tierra favoreció la invención y el uso de herramientas, por ejemplo, el arado, arrastrado por bueyes

mar Mediterráneo

EL ADOBE, UN MATERIAL BÁSICO

Es una masa de barro a veces mezclado con paja y secado al aire libre. El suelo de Mesopotamia es rico en adobe, y sus habitantes lo cocían para obtener terracota, con la que confeccionaban piezas de cerámica, de escultura y tablillas para la escritura. Asimismo, constituía el principal material empleado en la construcción de viviendas y otros edificios. El adobe que no era mezclado con paja servía para fabricar ladrillos, que luego cocían para que adquirieran mayor dureza y resistencia.

mar Rojo

Máxima expansión de Sumeria.

Máxima expansión de Asiria.

Máxima expansión
del imperio babilónico.

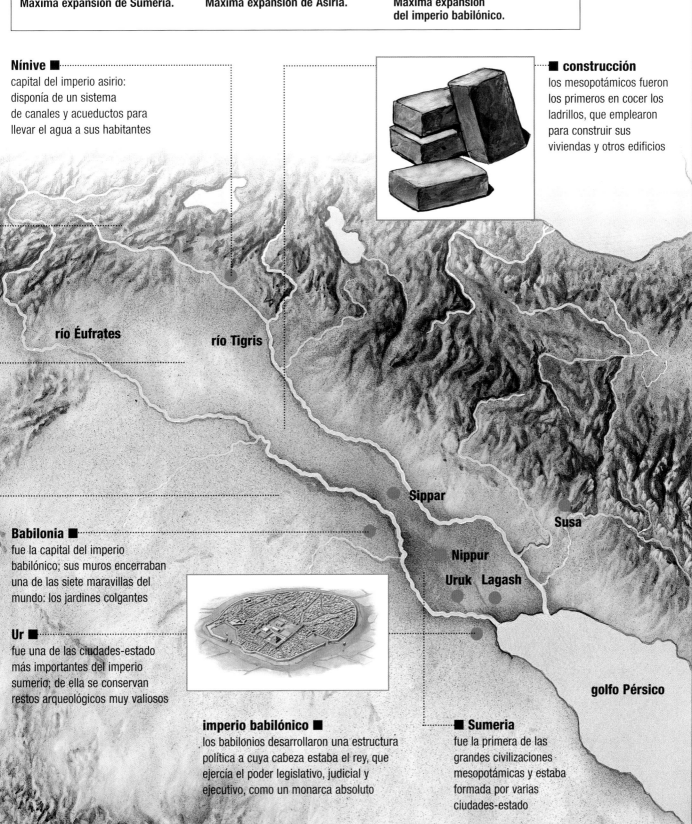

Nínive ■
capital del imperio asirio:
disponía de un sistema
de canales y acueductos para
llevar el agua a sus habitantes

■ **construcción**
los mesopotámicos fueron
los primeros en cocer los
ladrillos, que emplearon
para construir sus
viviendas y otros edificios

río Éufrates

río Tigris

Sippar

Susa

Nippur

Uruk   Lagash

Babilonia ■
fue la capital del imperio
babilónico; sus muros encerraban
una de las siete maravillas del
mundo: los jardines colgantes

Ur ■
fue una de las ciudades-estado
más importantes del imperio
sumerio; de ella se conservan
restos arqueológicos muy valiosos

golfo Pérsico

imperio babilónico ■
los babilonios desarrollaron una estructura
política a cuya cabeza estaba el rey, que
ejercía el poder legislativo, judicial y
ejecutivo, como un monarca absoluto

■ **Sumeria**
fue la primera de las
grandes civilizaciones
mesopotámicas y estaba
formada por varias
ciudades-estado

EL SÍMBOLO DEL PODER Y EL PROGRESO

Por lo general, las ciudades mesopotámicas se alzaban al lado o cerca del río, y se construían canales que conducían el agua hasta los cultivos. Eran recintos fortificados, en cuyo interior se erigían los edificios principales –como los palacios reales o los templos– y las viviendas de los ciudadanos, que en buena parte se dedicaban a la agricultura, aunque también al comercio y la artesanía.

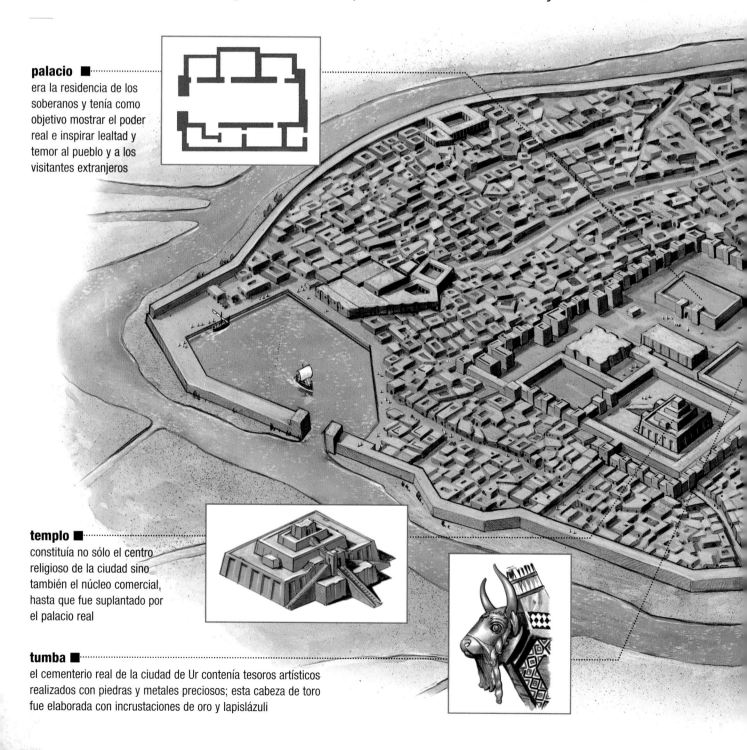

palacio ■
era la residencia de los soberanos y tenía como objetivo mostrar el poder real e inspirar lealtad y temor al pueblo y a los visitantes extranjeros

templo ■
constituía no sólo el centro religioso de la ciudad sino también el núcleo comercial, hasta que fue suplantado por el palacio real

tumba ■
el cementerio real de la ciudad de Ur contenía tesoros artísticos realizados con piedras y metales preciosos; esta cabeza de toro fue elaborada con incrustaciones de oro y lapislázuli

JUNTOS HASTA LA MUERTE

Uno de los descubrimientos más espectaculares que salió a la luz en las excavaciones de la antigua ciudad sumeria de Ur fue el cementerio real. Los hallazgos en este lugar demostraron que el fallecimiento del rey y su mujer fue seguido por la muerte voluntaria de los miembros de la corte.

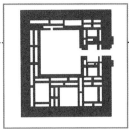

■ **casa**
las estancias, habitualmente, se agrupaban en torno a un patio central descubierto; las aguas residuales eran evacuadas a través de conductos

■ **comercio**
la actividad mercantil se desarrollaba principalmente en torno al templo, cuyos almacenes solían ser los más ricos de la ciudad; las mercancías más pesadas se transportaban con ayuda de un palé

■ **canal**
el complejo sistema de canales servía para regar los campos, para el transporte de mercancías y para controlar el cauce del río

■ **puerto**
a los puertos llegaban las barcas con productos como cebada, piedras preciosas, madera, cobre, marfil, etc., para vender e intercambiar en los mercados de la ciudad

■ **muralla**
las ciudades se fortificaban para defenderlas de las incursiones de los pueblos enemigos; el material de construcción empleado para este fin era el ladrillo de adobe cocido

LA MONTAÑA DE LOS DIOSES

Entre el IV milenio y el año 600 a.C. en las ciudades-estado de Mesopotamia se construyó, al lado del templo, una gran torre en honor del dios local. Se cree que estas monumentales atalayas, denominadas zigurat, tenían como función principal acortar la distancia entre los sacerdotes o los soberanos y los dioses, o servir de plataforma para que las deidades pudieran descender de su morada celestial con el fin de visitar a los hombres. Asimismo, se cree que también se empleaban como observatorio para estudiar los astros.

material ■
los zigurats se construían a partir de un núcleo de ladrillos secados al sol que luego se recubrían con ladrillos cocidos

decoración ■
en algunas ocasiones las paredes de estas grandes torres se recubrían con vistosos ladrillos vidriados

estructura piramidal ■
el zigurat se alzaba en forma de pisos sobre una gran plataforma. Las paredes de los pisos estaban ligeramente inclinadas hacia el interior

Creciendo en altura

Los primeros templos mesopotámicos se construyeron sobre plataformas de ladrillos de adobe. Más adelante, estas plataformas ganaron en altura hasta que los templos destacaron por encima de las casas. Los fieles accedían a ellos mediante escaleras.

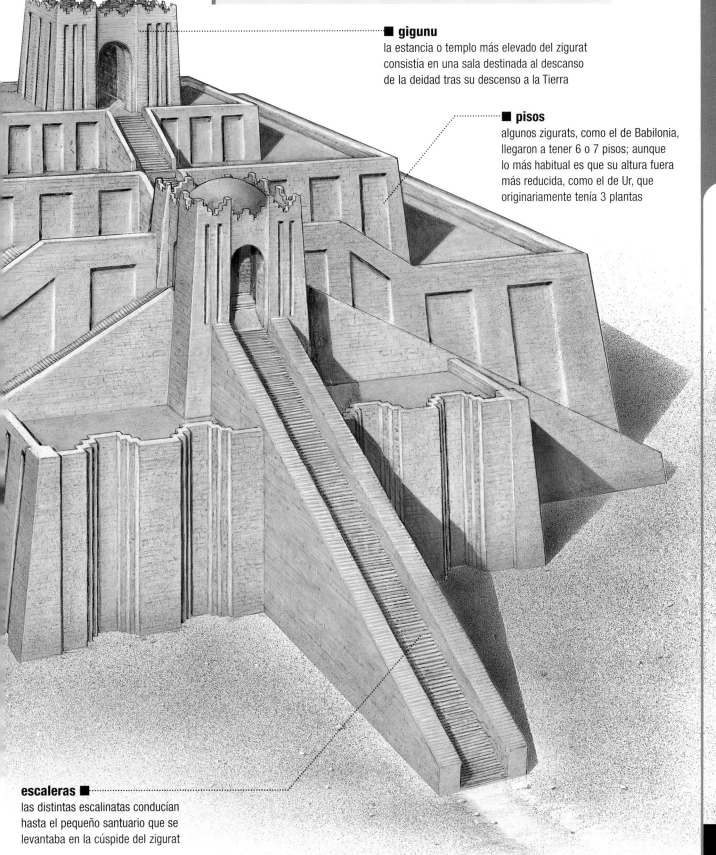

LA TORRE DE BABEL

Babel es el nombre bíblico de Babilonia. Según las Sagradas Escrituras, la torre de Babel tenía que llegar hasta el cielo. Dios, con el fin de impedirlo, confundió el lenguaje de los obreros que trabajaban en aquella colosal construcción y los dispersó por todo el territorio. Esta hermosa narración se inspira en el zigurat de Etemenanki, en Babilonia.

■ gigunu
la estancia o templo más elevado del zigurat consistía en una sala destinada al descanso de la deidad tras su descenso a la Tierra

■ pisos
algunos zigurats, como el de Babilonia, llegaron a tener 6 o 7 pisos; aunque lo más habitual es que su altura fuera más reducida, como el de Ur, que originariamente tenía 3 plantas

escaleras ■
las distintas escalinatas conducían hasta el pequeño santuario que se levantaba en la cúspide del zigurat

EL CIELO, EL INFIERNO Y LA TIERRA

La gente de Mesopotamia creía que el mundo estaba controlado por dioses benéficos y maléficos. Estas deidades dominaban los elementos de la Tierra, como el agua, el fuego o el aire. Asimismo, las ciudades tenían sus propias divinidades protectoras, a las que veneraban en grandes templos. Los almacenes de estos lugares sagrados solían ser los más ricos de la ciudad por las donaciones de sus ciudadanos o por las cosechas de sus propios cultivos.

LA CREACIÓN DEL HOMBRE

Cuenta una leyenda mesopotámica que los dioses, cansados de trabajar, decidieron crear con barro unas criaturas que los sustituyeran en las tareas más duras: los seres humanos. A partir de ese momento los hombres se convirtieron en sirvientes de los dioses y cultivaron para ellos los campos, proporcionándoles bebida y comida en abundancia a través de las ofrendas.

Sin ■
dios del tiempo que pasa, del ciclo mensual de la Luna

Anu ■
dios del cielo, padre de los dioses

Zababa ■
dios de la guerra y protector de la ciudad acadia de Kis

Nergal ■
dios de los infiernos, señor del mundo subterráneo

Los sacerdotes eran los representantes de los dioses en la Tierra y vivían en el templo. Desde este lugar, centro económico de la ciudad, controlaban la vida cotidiana y moral de la población.

Los sacerdotes

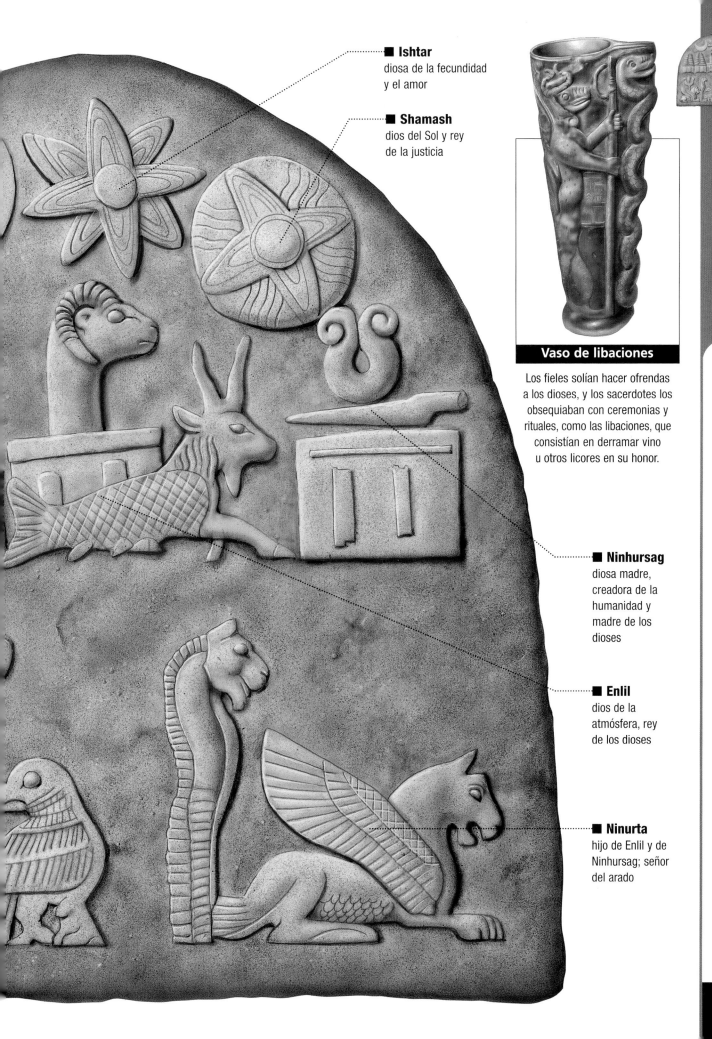

■ Ishtar
diosa de la fecundidad
y el amor

■ Shamash
dios del Sol y rey
de la justicia

Vaso de libaciones

Los fieles solían hacer ofrendas
a los dioses, y los sacerdotes los
obsequiaban con ceremonias y
rituales, como las libaciones, que
consistían en derramar vino
u otros licores en su honor.

■ Ninhursag
diosa madre,
creadora de la
humanidad y
madre de los
dioses

■ Enlil
dios de la
atmósfera, rey
de los dioses

■ Ninurta
hijo de Enlil y de
Ninhursag; señor
del arado

AL SERVICIO
DE LA AGRICULTURA Y LA GUERRA

Los habitantes de Mesopotamia eran un pueblo imaginativo, capaz de crear grandes obras de ingeniería y arquitectura y de inventar artilugios tan importantes para la evolución de la humanidad como la rueda o el arado. Asimismo, desempeñaron un papel muy relevante en la difusión y aplicación del bronce y otros materiales, como el ladrillo, e inventaron máquinas tan eficaces como el torno de alfarero, que significó un cambio decisivo en la calidad y la producción de la cerámica.

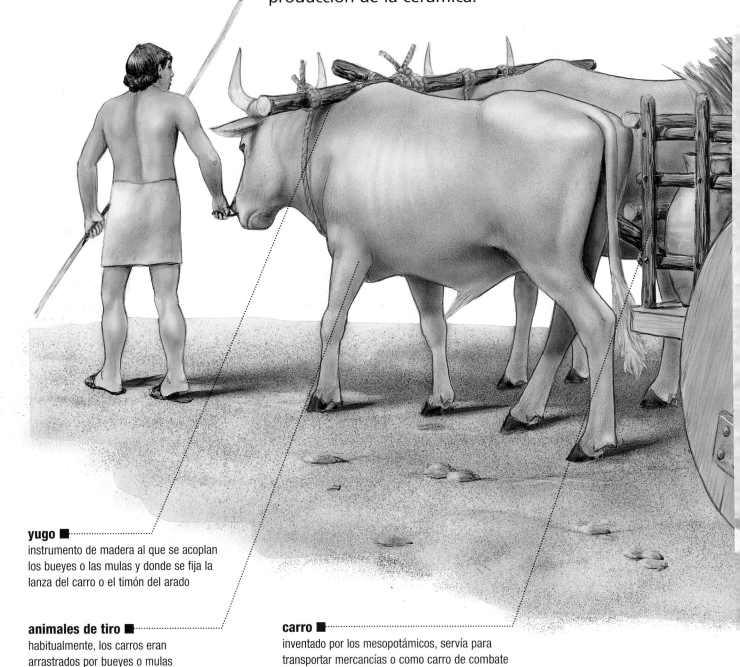

yugo ■
instrumento de madera al que se acoplan los bueyes o las mulas y donde se fija la lanza del carro o el timón del arado

animales de tiro ■
habitualmente, los carros eran arrastrados por bueyes o mulas

carro ■
inventado por los mesopotámicos, servía para transportar mercancías o como carro de combate

DOMESTICADORES DEL AGUA

Los mesopotámicos convirtieron las marismas fluviales en llanuras aptas para el cultivo. Asimismo, abrieron canales para la irrigación de los campos y el transporte de mercancías y construyeron una extensa red de cañerías para la evacuación de las aguas residuales de las ciudades.

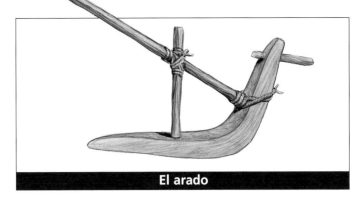

El arado

Antes de su creación, las plantaciones solían ser muy reducidas y las cosechas, inciertas. Su uso revolucionó la agricultura, puesto que facilitó la ventilación de la tierra y el entierro de los restos de cultivos anteriores, obteniéndose cosechas más abundantes.

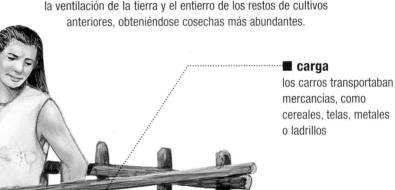

■ **carga**
los carros transportaban mercancías, como cereales, telas, metales o ladrillos

■ **material de construcción**
los carros se fabricaban con piezas de madera unidas con clavos de cobre o clavijas también de madera

■ **clavo**
los clavos de cobre fueron utilizados en Mesopotamia para unir las maderas de los carros y otros artefactos

■ **rueda**
inventada hacia el año 3.500 a.C., permitió la construcción de máquinas como el torno o medios de transporte como el carro

GUERRA Y PAZ

Esta obra maestra del arte mesopotámico, localizada en el cementerio real de Ur, está constituida por cuatro piezas planas decoradas con un mosaico de lapislázuli con incrustaciones de caparazones de moluscos y nácar. Las dos superficies mayores se distribuyen en tres registros y representan escenas relativas a la guerra y la paz. La importancia del estandarte de Ur reside no sólo en la calidad de su ejecución y en su iconografía sino también en su valor narrativo.

soldados ■
iban vestidos con túnicas de tela o lana; a veces llevaban cascos de cobre y utilizaban distintos tipos de armas: lanzas, hachas, puñales...

carro ■
los conductores guiaban los carros con riendas que se sujetaban al lomo y morro del asno

DE ABAJO ARRIBA

La narración de estos dos paneles comienza en la parte izquierda del registro inferior y termina en el superior.

soberano ■
los reyes protegían la ciudad en nombre de la divinidad local

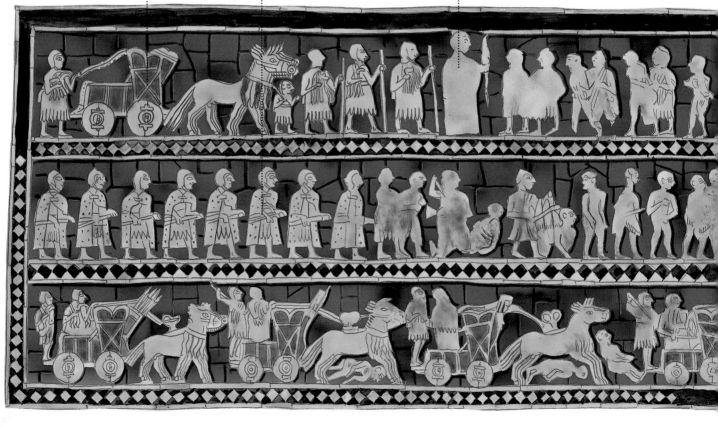

indumentaria ■
los asistentes a la celebración
visten la típica falda sumeria
y muestran el torso desnudo

arpa ■
los instrumentos musicales
a menudo se elaboraban con
materiales preciosos y se decoraban
con escenas humanas y de animales

cantante ■
la música y las canciones
desempeñaban un papel
relevante en las celebraciones

■ **material**
el estandarte de Ur fue ejecutado
principalmente con lapislázuli e
incrustaciones de nácar

■ **ovejas**
eran animales muy apreciados
cuya lana se empleaba para la
confección de telas

■ **bueyes**
se empleaban para
tirar de los carros
o los arados

LA GUERRA

En este panel se narra un
combate con carros de guerra.
En el registro inferior, aparece
el soberano montado en el
carro en cuatro momentos
sucesivos: desde que los
animales empiezan a caminar
hasta que van al galope. En el
registro central, los soldados
conducen a los prisioneros.
En el superior, los guerreros
conducen a los vencidos ante
el rey, en la parte central de
la escena; a la izquierda, el
escudero real sujeta el carro
con las riendas.

LA PAZ

En el registro inferior y central del panel
superior, los criados transportan manjares
y animales que serán sacrificados para
celebrar la victoria sobre los enemigos.
En el registro superior se representa el
banquete: el rey bebe en compañía de
otros personajes, acompañados por la
música de la lira y las canciones.

LA INMORTALIDAD DE LAS PALABRAS

Hacia el III milenio a.C. los habitantes de Mesopotamia desarrollaron una forma de escritura con el fin de registrar aspectos de la vida económica y social de la comunidad. Esta escritura se basaba en pictogramas que, con el paso de los años, evolucionaron hasta convertirse en signos cuneiformes. El soporte principal de la escritura cuneiforme, denominada así porque sus signos tienen forma de cuña, fue la tablilla de arcilla; sin embargo, también se han encontrado inscripciones en metales y piedras.

■ pictogramas
son dibujos que representan una palabra o frase

cálamo ■
caña biselada que se empleaba para trazar las inscripciones en las tablillas de arcilla y que proporcionaba la característica forma de cuña a los signos

a	gin/gub	anse	mu_er	gu	_ag	gi
agua	andar	asno	ave	buey	cabeza	caña

■ signos cuneiformes
con el tiempo, los pictogramas fueron evolucionando hacia signos abstractos, que permitían representar ideas y conceptos más complejos

■ número de signos
la escritura cuneiforme poseía unos 900 signos y a lo largo de su desarrollo nunca tuvo menos de 400 símbolos

Los escribas

En Mesopotamia los escribas disfrutaban de un gran prestigio, puesto que estaban especializados en la escritura y, por tanto, eran los encargados de consignar los registros y documentos administrativos y comerciales.

El sentido de la lectura

La escritura pictográfica se escribía dentro de rectángulos puestos en filas que se leían de derecha a izquierda y de arriba abajo.

UNA SOLA ESCRITURA Y MUCHAS LENGUAS

El sistema cuneiforme fue inventado por los sumerios para poder escribir en su propia lengua. Pero este tipo de escritura también fue adoptado por otras lenguas y otros pueblos, como los acadios, los babilonios, los asirios, los hititas, los luwitas o los hurritas.

■ registro

el desarrollo de la escritura en Mesopotamia se debe sobre todo a la necesidad de registrar la cantidad de cereales que se obtenía en cada cosecha; asimismo, se anotaba información relativa a las actividades del templo, el comercio y las transacciones

še	kú	ud	dug	su	gisimmar	ku
cebada	comer	día	vasija	mano	palmera	pez

■ tablillas

se elaboraban con arcilla húmeda; al finalizar la escritura se dejaban secar al sol o se cocían para que adquirieran dureza

■ literatura

con escritura cuneiforme también se compusieron hermosas historias y leyendas, como la del héroe Gilgamesh

UNA FANTÁSTICA COLECCIÓN DE LEYES

El rey Hammurabi de Babilonia hizo grabar en un bloque de piedra negra de unos dos metros de alto los 282 preceptos que componen su famoso código, donde recoge todas las leyes civiles y penales existentes en aquel momento. Para destacar el origen divino de las leyes, en la parte superior de la estela se representó al propio rey recibiendo el código de manos del dios Shamash. Esta recopilación jurídica tenía como objeto reglamentar todos los aspectos de la sociedad babilónica: desde la propiedad o la familia hasta el comercio o las obras públicas.

Hammurabi de Babilonia

Hammurabi, además de recopilar las leyes que regían la vida cotidiana de su reino, convirtió Babilonia en un gran imperio y un importante centro comercial. Él mismo supervisaba la recaudación de impuestos y la construcción de templos, y controlaba la navegación, el riego y la agricultura, aspectos fundamentales para la economía del territorio.

UNA SOCIEDAD JERARQUIZADA

Los decretos del código de Hammurabi parten de la existencia de tres clases sociales bien diferenciadas: los *awilum*, o patricios; los *muskenum*, o el pueblo en general; y los *wardum*, o esclavos.

OJO POR OJO

Las leyes del código de Hammurabi eran muy duras. Para comprobarlo, sirvan estos preceptos como ejemplo:

• Si un hombre ha reventado el ojo a un hombre libre, a él también se le reventará un ojo.

• Si un hombre ha reventado el ojo de un esclavo de un hombre libre, pagará la mitad del precio del esclavo.

• Si un hombre ha ejercido el bandidaje y se le encuentra, será condenado a muerte.

rey ■
Hammurabi fue un gran gobernante; el tiempo que duró su reinado ha sido definido como la "Edad de Oro de Babilonia"

leyes ■
el código de Hammurabi consta de 282 leyes y decretos que recopilan todas las leyes civiles y penales de la época

código ■
es un grupo de leyes ordenado siguiendo un procedimiento metódico y sistemático

estructura ■
el texto del código, en escritura cuneiforme, se distribuye por la superficie de la estela en 44 columnas horizontales: 16 en el anverso y 28 en el reverso

■ **diorita**
roca de color oscuro empleada para grabar en su superficie los preceptos decretados por Hammurabi

■ **dios**
Shamash, el dios mesopotámico del Sol y de la justicia, entrega las leyes al rey Hammurabi

■ **estela**
es un monumento erigido en el suelo en forma de lápida o pedestal; Hammurabi mandó grabar su código en estelas para que fueran distribuidas por todo el reino

EL REY DOCTO

Assurbanipal fue el último gran gobernante de Asiria. Famoso por sus grandes hazañas militares, que lo llevaron a extender su reino hasta el sur de Egipto y el oeste de Anatolia, también se erigió en patrón de las artes y las letras. Durante su reinado la cultura asiria alcanzó su máximo apogeo y la célebre biblioteca de Nínive, fundada por Sargón II, se enriqueció hasta poseer unos cien mil volúmenes.

La torre de asalto

Concebido por los asirios, fabricado en madera y recubierto de pieles de animal para esconder a los arqueros que iban en su interior, este artilugio facilitaba la entrada de los soldados en las fortificaciones.

UNA GRAN COLECCIÓN

La biblioteca de Assurbanipal en Nínive albergó la primera colección catalogada de manuscritos. En su afán de crear una inmensa biblioteca, este rey envió escribas a distintos puntos del imperio con el objeto de copiar en tablillas de arcilla los antiguos textos sumerios.

■ **literatura**

la biblioteca de Nínive albergó grandes joyas de la literatura mesopotámica, como la conocida epopeya de Gilgamesh

■ **Nínive**

capital del imperio asirio, a orillas del río Tigris; fue centro religioso, artístico y cultural. Tras su saqueo por los babilonios y los medos nunca volvió a recuperar su antiguo esplendor

■ **Assurbanipal**

conocido también como Sardanápalo, fue rey de Asiria entre 669 y 627 a.C.

A la caza del león

Muchos de los relieves que decoraban el palacio de Assurbanipal en Nínive representan escenas de la vida cotidiana del soberano en las que aparece el rey a caballo, subido en un carro o a pie cazando un león.

■ **guerra**

los reyes asirios eran los jefes del ejército y solían dirigir las campañas militares; los territorios conquistados eran administrados por gobernadores

■ **relieve**

los asirios revistieron las paredes de los palacios con magníficos relieves escultóricos que representaban escenas bélicas, cacerías, etc.

LA CIUDAD DE DIOS

Babilonia, conocida sobre todo por su enorme zigurat y sus míticos jardines colgantes, fue una de las ciudades más importantes de la antigüedad y, durante mucho tiempo, la capital administrativa y religiosa del gran imperio babilónico. Defendida por imponentes murallas y puertas fortificadas, alojaba ricos palacios y templos y caminos procesionales pavimentados. Fue destruida por el rey asirio Senaquerib en el año **689** a.C. y reconstruida después por su sucesor, Asaradón.

puerta de Ishtar ■
impresionante fortificación compuesta por muros flanqueados por torres cuadradas; estaba recubierta con ladrillos vidriados decorados con imágenes de animales sagrados

zigurat ■
o torre de Etemenanki; era un gran edificio escalonado de siete plantas, en cuya cima se erigía un templo

murallas ■
estaban formadas por dos muros que corrían paralelos; el espacio entre ellos había sido rellenado con tierra

Éufrates ■
este río dividía la ciudad en dos partes: la zona antigua, donde se erigían la mayoría de palacios y templos, y la zona nueva

LOS JARDINES COLGANTES DE BABILONIA

Se cuenta que Nabucodonosor II quiso hacer un regalo a su esposa que expresara su gran amor por ella. Sobre una extensa superficie hizo construir una serie de terrazas ajardinadas que formaban una especie de montaña artificial. Estos jardines estaban situados junto al palacio del rey, al lado del río. Encima de la terraza más alta había un depósito de agua que servía para irrigar ese magnífico vergel.

■ **avenida procesional**
esta gran arteria cruzaba la ciudad desde la puerta de Ishtar hasta el gran zigurat; era el camino que seguían los sacerdotes y gobernantes durante las ceremonias religiosas

■ **templo de Marduk**
era el dios protector de la ciudad de Babilonia; fue identificado zodiacalmente con Júpiter y se le suele representar luchando contra Tiamat, señor de la oscuridad y el caos

■ **torres fortificadas**
servían para reforzar la protección de la muralla contra posibles invasores

HÉROES Y DIOSES

Este bello poema sumerio, conocido a través de una versión asiria y escrito con signos cuneiformes, es considerado la obra capital de la literatura mesopotámica. Su importancia reside sobre todo en ser uno de los primeros ejemplos literarios de la historia y en constituir una reflexión profunda sobre la humanidad y un relato de los principales rasgos de la civilización que se desarrolló en la baja Mesopotamia.

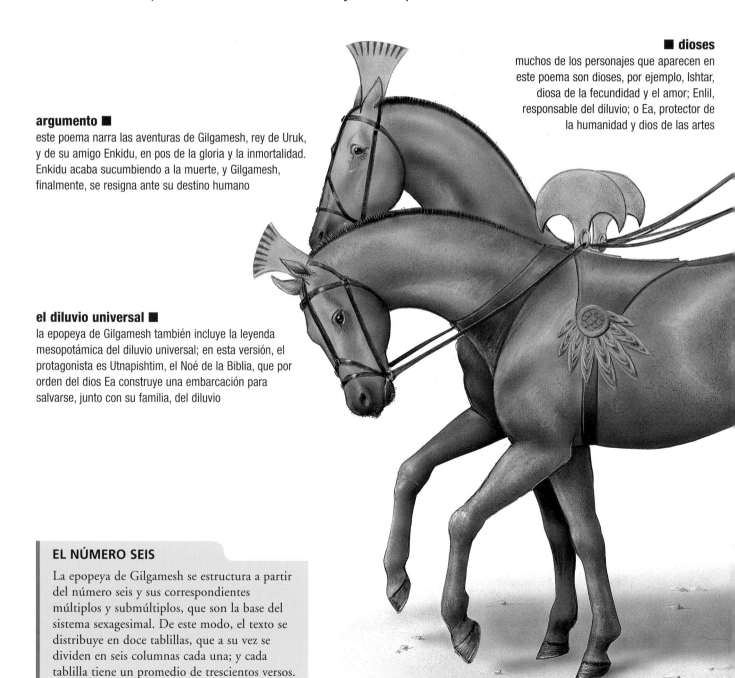

■ dioses
muchos de los personajes que aparecen en este poema son dioses, por ejemplo, Ishtar, diosa de la fecundidad y el amor; Enlil, responsable del diluvio; o Ea, protector de la humanidad y dios de las artes

argumento ■
este poema narra las aventuras de Gilgamesh, rey de Uruk, y de su amigo Enkidu, en pos de la gloria y la inmortalidad. Enkidu acaba sucumbiendo a la muerte, y Gilgamesh, finalmente, se resigna ante su destino humano

el diluvio universal ■
la epopeya de Gilgamesh también incluye la leyenda mesopotámica del diluvio universal; en esta versión, el protagonista es Utnapishtim, el Noé de la Biblia, que por orden del dios Ea construye una embarcación para salvarse, junto con su familia, del diluvio

EL NÚMERO SEIS

La epopeya de Gilgamesh se estructura a partir del número seis y sus correspondientes múltiplos y submúltiplos, que son la base del sistema sexagesimal. De este modo, el texto se distribuye en doce tablillas, que a su vez se dividen en seis columnas cada una; y cada tablilla tiene un promedio de trescientos versos.

■ **poema épico**

es una narración escrita en verso que describe acontecimientos legendarios o reales, con la inclusión frecuente de seres naturales, héroes, relatos de batallas, etc.

héroes ■

eran los protagonistas de las leyendas y los poemas épicos, admirados por su valentía y sus cualidades; en este poema los tres héroes principales son Gilgamesh, Enkidu y Utnapishtim

Gilgamesh ■

rey legendario de la ciudad sumeria de Uruk, es el protagonista principal de esta epopeya: un héroe que busca la inmortalidad porque no se resigna a su condición humana

lengua sumeria ■

este poema fue escrito originariamente en lengua sumeria, idioma que por el momento no ha podido ser clasificado dentro de ninguna de las grandes familias lingüísticas identificadas

GLOSARIO

Adobe	Bloque de tierra arcillosa secado al sol.
Ciudad-estado	Ciudad cuya independencia de gobierno la hace similar a un pequeño estado.
Epopeya	Poema narrativo extenso, que relata misiones loables con personajes heroicos.
Escritura cuneiforme	Signos utilizados por los pueblos mesopotámicos para escribir que se asemejaban a pequeños triángulos y que se grababan en tablillas de arcilla.
Iconografía	Estudio de las imágenes en las artes plásticas.
Monarquía absoluta	Sistema político en que el rey ostenta todos los poderes, sin limitación jurídica.
Pictograma	Dibujo que representa un objeto o una idea.
Politeísmo	Creencia en la existencia de muchos dioses.
Relieve	Escultura que sobresale de una superficie plana.
Terracota	Alfarería de tierra cocida.
Zigurat	Santuario en forma de torre característico de la arquitectura mesopotámica.

CRONOLOGÍA

3500 a.C.	Los pueblos sumerios, procedentes de Asia Central, fundan las primeras ciudades mesopotámicas.
3200 a.C.	Escritura pictográfica.
2400 a.C.	Escritura cuneiforme.
2300 a.C.	Los acadios, pueblo semítico procedente del centro de Mesopotamia, conquistan la región. Sargón I une las ciudades sumerias en un imperio.
2200 a.C.	Expansión y declive del imperio acadio.
2100 a.C.	Ur, capital del nuevo imperio sumerio.
2000 a.C.	Los elamitas destruyen la ciudad de Ur.
1800 a.C.	Hammurabi de Babilonia unifica Mesopotamia.
1225 a.C.	Los asirios conquistan el imperio babilónico.
1000 a.C.	Los asirios llegan hasta el Mediterráneo.
730-650 a.C.	Máxima expansión del imperio asirio.
600 a.C.	Asiria es destruida por los caldeos. Nabucodonosor II reconstruye Babilonia.
500 a.C.	Mesopotamia es conquistada por los persas.

PARA SABER MÁS

PERSONAJES DE MESOPOTAMIA

Sargón I

Este poderoso rey, apodado el Grande, fue el fundador del reino y la dinastía de Acad. Sus grandes gestas en el campo de batalla culminaron con la unificación de las tierras de Sumer y Acad y el control de las grandes rutas comerciales.

Naram-Sin

Este rey acadio, nieto de Sargón I, se atribuyó el título de "rey de las cuatro naciones" y se hizo divinizar. En la famosa estela que lleva su nombre se relatan sus victorias militares.

Gudea

Fue el más célebre gobernante de la ciudad sumeria de Lagash. Durante su mandato intentó evitar los conflictos armados con las ciudades vecinas. Se han conservado múltiples esculturas que lo representan en actitud orante y con inscripciones que ofrecen una extensa información sobre la cultura sumeria.

Hammurabi

Además de ser un extraordinario legislador, este rey, el más prestigioso del imperio babilónico, destacó por su pericia militar y por ser un notable administrador.

Senaquerib

Monarca asirio, destacado por su extremada belicosidad y sus campañas militares en Egipto. Reconstruyó la ciudad de Nínive, dotándola de una fortaleza que albergaba hermosos palacios y templos. Según la tradición musulmana, en uno de los palacios que hizo edificar está la tumba del profeta Jonás.

Assurbanipal

El último de los grandes soberanos asirios extendió su imperio hasta el sur de Egipto y el oeste de Anatolia. Era un hombre muy culto; durante su mandato reunió una gran biblioteca y decoró sus residencias reales con grandes relieves que representan escenas de guerra, de caza y de la vida cotidiana.

Nabucodonosor II

Fue el monarca más importante de la dinastía neobabilónica. Bajo sus órdenes el imperio se convirtió en el primer poder militar de Oriente Próximo. Sin embargo, su fama se debe, sobre todo, a un suceso concreto: la toma de Jerusalén y el posterior traslado de los miles de cautivos judíos a Babilonia.

Gudea

Hammurabi

Assurbanipal